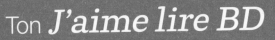

Ton *J'aime lire BD*
réchauffe l'hiver!

Sommaire

BD

Tom-Tom et Nana
> page 5
> page 56
> page 149
> page 162

T. Taclack
> page 17
> page 55
> page 77
> page 89

Tralaland
> page 18

Zélie & compagnie
> page 28
> page 117

Émile et Margot
> page 39

Mon ami Grompf
> page 45
> page 96
> page 115
> page 147

Anatole Latuile
> page 47
> page 129

Ariol
> page 57
> page 105
> page 137

Kiki et Aliène
> page 90
> page 104
> page 128

Maudit Manoir
> page 75
> page 98
> page 127

Sardine de l'espace
> page 78

Dr Énigmus
> page 99

Jeux

Hip Hop!
> page 67

Blagues

Bonnemine
> pages 38, 136
T. Taclack
> pages 16, 54, 76, 88

Actus

> page 160

Dessins : B. Després, M. Boutavant, C. Devaux, F. Benaglia, N. Hubesch, D. de Thuin, Nob, M. Broersma, G. Long, Ohm, Titwane.

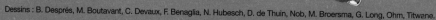

Tom-Tom et Nana

Suivez le guide!

C'est toi qui les as pris!

Quoi?!?

BLAM!

Rends-les moi!!

Et rends-moi mon carnet!...

...mon porte-clefs, ma game-boy, mon canif!

Tu es gonflé!!

C'est pas ma faute si tu perds tes affaires!!

Espèce de pique tout!

PLOUF!

Voleuse! Triple voleuse!!

Bon!...Fouille mon cartable!

Fouille - moi ! Vas-y !!

Cherche dans ma culotte si tu oses !

Pfff !

PAF !

Je suis sûr que tu as une cachette !

Et je la trouverai !

En attendant, tu n'auras pas mon sabre laser !

Je vais dormir avec lui !

Bonne nuit, Dark Vador !

7

8

Ne la quittons pas
d'un poil !

Mon cœur
va lâcher !

C'est du cinéma, j'en suis
sûr !

Chut,
j'ai dit !!

Elle va se cogner
dans la porte !

Je vais lui
ouvrir !

Vite, Adrien, prends
un parapluie !

Vous allez où ?
A l'asile de fous ?

Chut !!!

C'est ma sœur
qui déménage !

J'ai le vertige!!!

Appelez Police-secours!

Glisse, idiot!! Noooon!

Aaaaaah!

Aïe! Mes fesses!

PLOUOUF!

Et voilà! A cause de toi on a perdu la petite!

Nana! Nana! Elle a disparu!

13

Retrouve *Tom-Tom et Nana* en album chez **Bayard Éditions.**

Scénario : Jacqueline Cohen et Évelyne Reberg. Dessin : Bernadette Després et Marylise Morel. Couleurs : Catherine Viansson-Ponté.

Rébus

Blague

Une mère dit à son fils :
– Ferme la porte mon chéri, il fait froid dehors !
– **Mais Maman**, répond l'enfant, si je ferme la porte, **il fera toujours froid dehors !**

Blague

Un monsieur entre dans une animalerie :
– Bonjour, je voudrais 12 souris, 50 cafards et 27 araignées.
Étonné, le vendeur demande :
– C'est pour une expérience ?
– Non, mais je déménage et je dois rendre l'appartement dans l'état où je l'ai trouvé !

Dessin : Fred Benaglia.

Chauffe tes neurones !

En se rendant à un point d'eau dans la savane, un zèbre bien zébré croise 6 girafes. Chaque girafe transporte trois singes sur son dos. Chaque singe porte deux oiseaux sur sa queue. Combien d'animaux se rendent au point d'eau ?

QUE FAISIEZ-VOUS ENTRE AUJHETISH AU POINT D'EAU ?

Blague

Un homme affamé a volé une poule. Il la plume au bord d'une rivière, quand le garde champêtre arrive. L'homme jette la poule dans la rivière, mais le garde champêtre remarque le tas de plume au sol :

– Qu'est-ce que c'est que ça ?
– Oh, c'est rien... répond le voleur. C'est une poule qui est allée se baigner et qui m'a demandé de lui garder ses affaires...

Dingo-proverbe

Un professeur est quelqu'un qui parle pendant le sommeil de quelqu'un d'autre.

Eh, m'dame, vous pouvez parler moins fort, j'ai le sommeil léger en ce moment... merci !

16

Plein aux as

Mais...

Purée! Je... J'ai trouvé un billet de 20 euros par terre...

Bah... Qu'est-ce qui t'arrive ?

Yééé Yééé !

J'ai trouvé 20 euros par terre... Heu... À moi le bonheur, je suis riiiche, lalala !

Hihi, tu vas en faire quoi ?

Haha, je vais m'acheter un max de bonbons !

Non, attends! ... plein de glaces!

Non, des bonbons... heu... non, des glaces!

Des glaces... non, des bonbons...non, des glaces...

Non, bonbons...

Scénario : Libon. Dessin : Fred Benaglia. Couleurs : Framboise.

Tralaland

par Libon

ÇA C'EST MOI BENOIT. JE ME SUIS RETROUVÉ À TRALALAND, JE SAIS PAS TROP COMMENT.

AAAH FACILE.

LUI, C'EST JIM. NORMALEMENT IL POUVAIT ME RENVOYER CHEZ MOI.

MAIS SA SUPER MACHINE EST TOMBÉE EN PANNE.

ÇA ALORS.

CHANGER LA PILE

BREF, AVEC BOB, BISOU ET MADELEINE, ON EST PARTIS POUR ACHETER UNE PILE.

ÇA A L'AIR DE RIEN, MAIS ICI, POUR ACHETER UNE PILE, IL FAUT ALLER À L'AUTRE BOUT DU MONDE. ALORS ON S'EST MIS EN ROUTE... ALLEZ ZOU!

J'AVAIS JAMAIS PRIS LE BATEAU. C'EST CHOUETTE.

MOI NON PLUS! OUI, C'EST CHOUETTE!

LE BATEAU SYMPA

POUT POUT POUT

C'EST RIGOLO, JE PENSAIS PAS QUE ÇA ALLAIT AUSSI LENTEMENT, UN BATEAU...

HEUREUSEMENT QU'IL Y A DU VENT SINON, ON AURAIT L'IMPRESSION DE NE PAS AVANCER!

ALORS LES ENFANTS, ON PREND LE BON AIR DU LARGE?

HIHI OUI!

C'EST VOUS, LE CAPITAINE?

TOUT À FAIT.

18

ET VOUS ALLEZ OÙ, COMME ÇA, LES ENFANTS ?

ON VA ACHETER DES PILES.

AH C'EST BIEN, ÇA !

ET ÇA VOUS PLAIT, LE BATEAU ?

OUAIS ! SAUF QU'IL FAUDRAIT QU'IL AILLE À FOND !

OUI !!

COMME ÇA, ON SERAIT HYPER VITE ARRIVÉS !

AVEC LA SIRÈNE TOUT LE TEMPS !

POOOON !

HAHA !

AHAH !

ET ÇA SERAIT SUPER SI LES BATEAUX ILS SAUTAIENT PAR-DESSUS LES ÎLES !

HAHA, OUI !

HAHA, LA JEUNESSE !

HI HI !

BON BON. ALLEZ LES ENFANTS, JE VOUS LAISSE, J'AI DU TRAVAIL.

AU REVOIR MONSIEUR.

POOON

HÉ, IL EST SYMPA LE CAPITAINE, IL A MIS LA SIRÈNE !

?

HÉ, IL SE PASSE QUOI ?!

JE SAIS PAS !

BRCRK

?

HOU LA VACHE,

i GNÉ PASSÉ GNOi ?

RHA PRESQUE !

J'AVAIS UNE BONNE ACCÉLÉRATION, UNE CORNE DE BRUME IMPEC, ET PAF, JE LOUPE LE SAUT DE L'ÎLE.

COMMENT ÇA "JE LOUPE LE SAUT DE L'ÎLE"?

BÉ, C'EST PAS ÇA QU'IL FALLAIT QUE JE FASSE ?

?

VOUS M'AVEZ DIT QU'IL FAUT ALLER À FOND EN FAISANT POUÊT ET SAUTER AU-DESSUS DES ÎLES.

MAIS NON, ENFIN !

BÉ... VOUS M'AVEZ DIT DE FAIRE QUOI ?

MAIS RIEN, ENFIN !!

AAAAH ♩ OK. OK, OK. C'ÉTAIT UN PEU COMME UNE BLAGUE.

BÉ OUI !

CAPITAINE, CAPITAINE ! ON A LOUPÉ LE SAUT DE L'ÎLE. LE BATEAU EST PLIÉ EN DEUX !

NON MAIS C'ÉTAIT UNE BLAGUE. IL FALLAIT PAS SAUTER.

?

PUNAISE, IL S'EST PASSÉ QUOI ?

LE CAPITAINE, IL A ESSAYÉ DE SAUTER AU-DESSUS DE L'ÎLE ET IL A LOUPÉ.

NON MAIS JE COMPRENDS RIEN NON PLUS.

AH OUI, CARRÉMENT, OUI,...

EXCUSEZ-MOI, VOUS FAITES QUOI, LÀ ?

ON A EU UN PETIT ACCIDENT TOUT BÊTE.

ON VOUS A DÉRANGÉ ?

J'ÉTAIS TRANQUILLE CHEZ MOI, J'AI ENTENDU UNE SIRÈNE ET QUELQU'UN QUI DISAIT : À LA UNE, À LA DEUX ET... BOUM. JE SAIS PAS CE QUE VOUS AVEZ FABRIQUÉ.

AH NON, MAIS C'EST TROIS FOIS RIEN, ON VA RÉPARER TOUT ÇA.

AH, CHOUETTE !

VENEZ, JE VOUS INVITE À BOIRE UN BON SIROP DE FRAISE CHEZ MOI.

AHLALA, FIGUREZ-VOUS QUE JE SUIS BIEN CONTENT D'AVOIR DES INVITÉS PARCE QUE JE VOIS PAS TROP DE GENS, D'HABITUDE.

BÉ OUI, C'EST LE PROBLÈME AVEC LES ÎLES DÉSERTES.

4

VOILÀ, C'EST ICI QUE J'HABITE.

J'AIME BIEN CHEZ VOUS !

C'EST QUOI DÉJÀ CETTE GRENADINE ?

C'EST DU SIROP DE FRAISE.

QUELLE ÉTONNANTE BOISSON.

Y A PLEIN DE FRAISES QUI POUSSENT DANS LA JUNGLE.

C'EST PAS MAUVAIS.

VOUS SAVEZ SI ON PEUT PRENDRE UN BATEAU SUR VOTRE ÎLE, MONSIEUR ?

AH OUI OUI, PAS BÊTE.

SACHEZ, JEUNE FILLE, QUE JE VIS ICI DEPUIS VINGT ANS ET QUE JE N'AI PAS VU UN SEUL BATEAU.

ENFIN SI, UN, DU COUP...

HUM.

DITES, BOB, VOUS NE PENSEZ PAS QU'IL FAUDRAIT VOIR AVEC LE CAPITAINE S'IL PEUT RÉPARER SON BATEAU ?

AH OUI ! PAS BÊTE.

C'EST VRAI QUE LÀ, ON EST UN PEU COINCÉS, DU COUP...

AH, TOUT À FAIT.

ON VA ALLER LE VOIR, AVEC MADELEINE.

ON VA LUI DEMANDER.

5

J'ESPÈRE QU'IL VA PAS ME SORTIR DES MOTS TROP TECHNIQUES...

ÇA VA, VOUS ALLEZ POUVOIR RÉPARER VOTRE BATEAU?

C'EST PLUS COMPLIQUÉ QUE JE LE PENSAIS... ATTENDEZ.

HOOOOO!

HOOOO!

ON N'ARRIVE PAS À DÉPLIER LA COQUE, MÊME EN TIRANT TRÈS TRÈS FORT.

ON SE DISAIT UN TRUC EN VENANT, LÀ.

OUI?

HISSE!

ÇA VA PEUT-ÊTRE PRENDRE DES ANNÉES POUR DÉPLIER VOTRE BATEAU, DU COUP ON POURRAIT FAIRE UN RADEAU, NON?

IL Y A TOUT CE QU'IL FAUT SUR L'ÎLE.

C'EST VRAI QUE ÇA PEUT FAIRE GAGNER DU TEMPS.

HÉ LES GARS, ARRÊTEZ TOUT, ON VA FAIRE UN RADEAU, ÇA SERA PLUS SIMPLE!

VOUS SAVEZ FAIRE ÇA?

AHAH BIEN SÛR!

JE VAIS CHERCHER DES SCIES.

OUÉÉ UN RADEAU!

ALLONS ANNONCER LA NOUVELLE À BOB ET BISOU!

C'EST LONG, NON ?

LE CAPITAINE A L'AIR DE S'Y CONNAÎTRE EN RADEAU.

AH BIEN.

TOUS LES MARINS DOIVENT SAVOIR FAIRE ÇA.

ÇA DOIT COMPTER POUR LEUR DIPLÔME DE MARIN, JE PENSE.

HUM.

HUM HUM !

ÇA Y EST ? VOUS AVEZ FINI LE RADEAU ?!

OUI OUI, MAIS ÇA NE MARCHE PAS DU TOUT.

AH ?

AH MAIS PAS DU TOUT. C'EST PAS UNE BONNE IDÉE.

LES ARBRES, ILS VONT PAS ?

AHAH DU PALMIER DE CETTE QUALITÉ, Y A PAS MIEUX.

ACCROCHÉ AVEC DE LA LIANE DE FRAISE TROPICALE, Y A PAS PLUS SOLIDE.

MAIS C'EST QUOI LE PROBLÈME ?

AH BA, VENEZ VOIR, HEIN.

7

REGARDEZ ÇA.
ON A COINCÉ LE RADEAU EN FORÇANT SUR LA COQUE.

C'EST TOUT COINCÉ, CAPITAINE !

VOUS ESSAYEZ PAS DE DÉPLIER LE BATEAU AVEC LE RADEAU, QUAND MÊME ?

BA... C'EST PAS CE QU'ON AVAIT DIT ?

HEIN ?

BÉ, VOUS NOUS AVEZ DIT QUE ÇA IRAIT PLUS VITE DE DÉPLIER LE BATEAU AVEC UN RADEAU...

MAIS NON, ENFIN !

LE RADEAU C'EST POUR PARTIR DE L'ÎLE, QUOI ! PAS POUR DÉPLIER DES BATEAUX !

AAAH !

MINCE, JE SAIS PAS CE QU'ON VA FAIRE, DU COUP...

BA...

FAUT JUSTE DÉCOINCER LE RADEAU, QUOI.

HAHAHAHAHA !

?

AH OUI, NON OK, IL FAUT VRAIMENT DÉCOINCER LE RADEAU, C'EST ÇA ?

MGNOUÏÏ !

ET VOILÀ, ON A TRAVAILLÉ TOUTE LA NUIT !

PFIOU ♪

WAOU ! VOUS FAITES DES SUPER RADEAUX, QUAND MÊME...

AH, ON EST OBLIGÉ POUR PASSER LE DIPLÔME DE CAPITAINE.

EH BIEN BON VOYAGE ALORS, HEIN !

VOUS VENEZ PAS ?

VOUS RIGOLEZ ? MOI IL FAUT QUE JE DÉPLIE MON BATEAU.

JE VAIS VOUS AIDER, VOUS ALLEZ VOIR.

BÉ ALORS MERCI POUR TOUT ET AU REVOIR !

AU REVOIR !

AU REVOIR !

ET EN ROUTE POUR L'AVENTURE !

HÉ BOB, VOUS TROUVEZ PAS QU'ON Y EST DÉJÀ BIEN, DANS L'AVENTURE ?

Scénario et dessin : Libon.

Retrouve *Tralaland* tous les mois dans *J'aime lire Max.*

VIENS JOUER LES AGENTS SECRETS AVEC LES PINGOUINS DE MADAGASCAR !

Déjà chez ton marchand de journaux !

bayard

Zélie et compagnie
Le roi de la boum

NOËL
DIT BOYCOTT

ALBERT
DIT EINSTEIN

AGATHE
DITE COIN-COIN

BENOÎT
DIT LAGLU

ZÉLIE
BISTOURI

Bon! Faut que je file! Je suis déjà en retard!

On va au cinéma ensemble, samedi soir?

68

J'ai peur que ce soit impossible, Zélie!

Pourquoi?...

C'est à deux pas d'ici...

Je travaille tout le week-end... Tu sais ce que c'est...

28

RADIOLOGIE ⇨

Changer votre emploi du temps ?

C'est très délicat... Les plannings sont serrés... je ne sais pas si je vais pouvoir...

⇦ ORTHOPÉDIE

Bon! Bon! Je vais faire mon possible...

Faites l'impossible! Je dois IMPÉRATIVEMENT récupérer mes journées de samedi et dimanche!

O.k.! Je vais essayer de m'arranger... Considérez que vous êtes libre ce week-end.

HOPÉD

Vous me sauvez la vie.

CLINIQUE St Hippolyte ✚

4

31

Après les cours...

Eh! Zélie!

Dylan?

Je fais une boum chez moi, samedi... je t'invite.

...!

Zélie?

ZÉLiiiiiE!

Oui?

Il faut que je répète?

S'il te plaît! J'ai peur d'avoir mal entendu.

J'ai dit : je t'invite à ma boum, samedi.

C'est bien ce que j'avais compris...

5

Tu vas être contente, Zélie! Je suis libre tout le week-end! On va bien s'amuser.

Et on pourra aller au ciné samedi soir, comme tu voulais!

Désolée, p'pa! J'ai d'autres projets.

Hein? Comment ça?

Je sors avec Dylan...

Et tu ne peux pas déplacer ce rendez-vous? J'ai déplacé tous les miens, tu sais...

Impossible! Je suis invitée à une boum... Dylan ne changera pas la date pour mes beaux yeux!

Tu as du toupet! Ce matin, tu râlais parce que je ne m'intéresse pas assez à toi!

Tu t'intéresses à moi quand ça t'arrange!

J'irai à cette boum parce que c'est IMPORTANT POUR MOI!

6

33

Le samedi soir...

Bonsoir, Dylan.

Salut.

Euh... Tu... Tu veux danser avec moi ?

Pas envie !

O.K.... Quand tu veux... Je suis là...

Alors, Zélie, tu joues les remplaçantes ?

Pourquoi tu dis ça ?

Quoi ?! T'es pas au courant ?

Au courant de quoi ?

Dylan t'a invitée parce que Mallory est malade...

P'pa? T'es là?

Dans la cuisine.

Qu'est-ce que tu fais?

Je réchauffe la pizza...

Tu m'attendais?

Pas vraiment... Mais je me disais que tu serais peut-être contente de grignoter un truc en rentrant...

Tu rentres plus tôt que prévu... Ça s'est mal passé?

Il ne s'est rien passé...

Parfait! Voilà qui nous laisse tout le temps de manger et d'aller au ciné après!

Génial!

9

Scénario : Corbeyran. Dessin : David De Thuin. Couleurs : Caroline Blanchard.

blague

Banane, ça commence par un **B**.

Mais normalement, ça commence par un **N**.

Ne pas confondre

Le maçon du Poitou

Le poisson du matou !

Dessin : Ohm.

MONSIEUR ET MADAME

Monsieur et Madame Aplanètelaplusprochedelaterre ont un fils.
Comment s'appelle-t-il ?

Emile et Margot

Les Amuse-Monstres

Le jardinier m'a rapporté ceci. C'était sur le pied d'une statue du parc !

La chaussette que je cherchais depuis trois jours...

Pffff !

Tu trouves ça drôle ?

Ce n'est pas moi qui l'ai mise là !

Tatatata ! C'est peut-être la statue qui l'a prise dans ta chambre ?

39

GRMMBLBL...

Je t'assure, ce n'est pas moi qui l'ai mise là-bas...

En ce moment, mes affaires disparaissent, et je les retrouve dans des endroits bizarres!

Ça me rappelle une histoire que m'a racontée le Chautoutou.

Chaque matin, son collier disparaissait et réapparaissait n'importe où...

Une nuit, il a mis un grelot sur le collier et il a retrouvé les coupables...

Il y avait une famille d'Amuse-Monstres chez lui!

Des Amuse-Monstres?

Ce sont des monstres qui sortent la nuit pour faire des farces.

Il doit y en avoir dans notre chambre!

Il y a un grelot dans le bonnet de mon lutin. On va le mettre dans ta chaussette!

Bonne idée!

Plus tard...

Je la mets au milieu du tapis...

Gling! Gling! Gling!

On n'a plus qu'à se coucher et attendre!

41

Une heure plus tard...

Gling!

Gling!

Gling!

Dites donc, il ne faut pas vous gêner!

Vous voulez la mettre où, cette fois-ci ?

Sur la couronne de ton père, ah, ah, ah !

Ou dans la théière de ta mère pour faire du jus de chaussette, hi, hi, hi!

Alors, à chaque fois qu'un objet se retrouve dans un drôle d'endroit, c'est de votre faute ?

Moi, je m'occupe surtout des bouchons de dentifrice, hu, hu, hu !

Et moi des clés, hé, hé, hé!

Ah tiens, ça fait un moment que je ne retrouve plus la clé de ma table de nuit.

Hi, hi, hi, s'il te disait où il l'a mise...

Vous ne savez pas qu'on se fait gronder quand vous cachez un objet ?

Pas possible !

Ça met notre gouvernante en colère.

Elle n'a pas du tout d'humour !

Il faudrait lui faire quelques farces pour l'habituer...

On va vous montrer où elle habite !

Qu'est-ce qu'elle aime faire, cette gouvernante ?

Ranger, nettoyer coudre...

... et nous gronder aussi !

Retrouve *Émile et Margot* tous les mois dans *Mes premiers J'aime lire.*

Texte : Anne Didier et Olivier Muller. Dessin : Olivier Deloye. Couleurs : Clémence Sapin. Lettrage : François Batet.

mon ami GROMPF

PAR N o b

GROMPF!

NON!

HÉ, T'AS VU ?
Y A UN NOUVEAU
MAGASIN DE JEUX
VIDÉO QUI VIENT
D'OUVRIR !

NON
MAIS, ÇA
VA PAS ?

JE T'AI
DÉJÀ DIT QU'IL
FAUT TOUJOURS
TRAVERSER SUR
LES PASSAGES
PIÉTONS !

GROMPF

ET
SURTOUT BIEN
FAIRE ATTENTION
AUX FEUX DE
SIGNALISATION,
C'EST IMPORTANT !

PAR EXEMPLE,
LE FEU PIÉTON
EST ROUGE,
TU PEUX Y ALLER
OU PAS ?

GROMPF?

GROMPF!

MAIS
NON!

QUAND
C'EST ROUGE,
TU NE PEUX PAS
TRAVERSER !

GROMPF?

45

Retrouve *Mon ami Grompf* tous les mois dans *J'aime lire Max.*

La poésie

Tu viens ?

Oui oui, j'arrive !

Zut ! Pas le temps d'effacer...

Tant pis !

CLAC !

Elle est folle de nous demander d'apprendre tout ça pour demain !

Surtout un soir où il y a "Capitaine Startruc" à la télé !

Le lendemain matin...

Eh bien moi, hier soir, j'ai appris la poésie en dix minutes !

Et moi en zéro seconde parce que je ne l'ai pas apprise !

Startruuuuc ! ♪ ♫ Sur ta planète machin-truuuuc ! ♪

"C'étaient deux petits éléphants
Deux petits éléphants tout blancs.
Lorsqu'ils mangeaient de la tomate,
Ils devenaient tout écarlates.
Dégustaient-ils un peu d'oseille,
On les retrouvait vert bouteille.
Suçaient-ils une mirabelle,
Ils passaient au jaune
de miel..."

Suçaient-ils une crotte de chien ? Et ils devenaient tout bruns !

Hi Hi Hi Hi Hi !

Qu'est-ce que tu es bête ! Tu la sais au moins ?

Non, j'ai déjà été interrogé, alors c'est pas la peine...

C'était quand ?

Euh, je ne sais plus...

GRAT ! GRAT !

Ah oui, et tu ne crois pas que ça pourrait être de nouveau ton tour ? On n'est que 19, je te signale !

Elle me ferait presque peur !

À moi aussi !

Il vous reste cinq minutes, vous pouvez essayer d'apprendre le début...

"C'étaient deux petits éléphants, Deux petits éléphants tout blancs..."

Pfff, c'est vraiment pour les bébés, cette poésie !

"C'étaient deux petits éléphants Qui n'avaient pas de couleur…"

…Euh non!… "Tout blancs."

"Lorsqu'ils mangeaient de la sauce tomate ils devenaient…euh…"

écarlates!

"Ils devenaient acrobates."

Écarlates! Et on ne souffle pas!

"Quand ils mangeaient quelque chose qui ressemble à des oreilles…"

Eh bien, c'est laborieux!

"…Ils devenaient euh…bouteille…"

51

Anatole Latuile

Retrouve *Anatole Latuile* tous les mois dans *J'aime lire.*

Scénario : Anne Didier et Olivier Müller. Dessin : Clément Devaux.

Blague

Ha, ha, ha!

La veille d'une interro, Barjo dort mal et tombe de son lit. Pas grave!
Il se relève, remonte dans son lit et se rendort. Mais un peu plus tard.
Vlan! il retombe. Alors soulagé, il s'écrie :

– Heureusement que tout à l'heure je me suis relevé, sinon je me serais tombé dessus!

Chauffe tes neurones

Cent-dix mille ânes dans un pré... et 120 dans l'autre...

Combien y a-t-il d'ânes en tout ?

Blague

Très agité, un homme entre dans un commissariat :

– Aidez-moi, j'ai reçu une lettre de menaces!
– Avez-vous un indice sur l'auteur? demande le policier.
– Oui, elle vient des impôts!

C'est drôle impôt, beaucoup, pas du tout!

Dessin : Fred Benaglia.

Blague

– P'pa, j'aimerais bien avoir une **bicyclette** !

– Fiston, si tu arrives à l'écrire sans faute d'orthographe, je te promets que tu en auras une...

– P'pa, je crois que finalement je préfère **un vélo** !

Énigme

Quel animal possède le plus de dents ?

Chauffe tes neurones

Combien de « **F** » y a-t-il dans le texte en anglais ci-dessous?
Tu as 10 secondes!

C'est super facile!

FINISHED FILES ARE THE RESULT OF YEARS OF SCIENTIFIC STUDY COMBINED WITH THE EXPERIENCE OF YEARS.

T. Taclack s'en « mail » les pinceaux...

Hé, hé !

J'ai une adresse mail depuis hier !!

Ah !

Tu veux la connaître pour m'écrire ?

Ouais, attends, je note...

Alors, c'est

T

Point

Taclack

Et ensuite ?

Quoi ensuite ?

Ben, il manque un bout, là...

C'est t.taclack @ quelque chose...

? ?

Ah ouais, en fait, tu connaissais mon adresse et tu m'as jamais écrit...

Je vois le genre...

Scénario : Libon. Dessin : Fred Benaglia. Couleurs : Framboise.

4x4 et 4 pattes

Personnages créés par Jacqueline Cohen, Évelyne Reberg, Bernadette Després, Catherine Viansson-Ponté. Scénario : Jacqueline Cohen. Dessin : Bernadette Després. Couleurs : Rémi Chaurand.

Retrouve *Tom-Tom et Nana* en album chez **Bayard Éditions.**

ARIOL

Tu n'as pas attrapé des puces, au moins ?

Je sais pas, m'sieur. J'espère que non.

PsssT ! On va dire que ça nous gratte, nous aussi. Comme ça, peut-être que LE BLOUNT nous renverra chez nous.

Ah oui ! Trop bien !

M'sieur ! M'sieur ! Moi aussi, ça me gratte !

Et moi aussi, m'sieur ! Je sens plein de bestioles qui me courent dessus !

ARIOL et RAMONO ! Du calme ! N'essayez pas de profiter de la situation, hein ?

AAAH !

59

M'sieur ! Vous aussi, vous avez des puces ?

Euh... je ... en effet. Depuis un moment, ça me démange un peu. Mais inutile de s'énerver !

ARIOL, au lieu de faire l'imbécile avec RAMONO, accompagne BROUHAHA à l'infirmerie et demande à madame LATIFA qu'elle vous examine tous les deux. Et que ça saute !

Oui m'sieur.

C'est vrai que tu as des puces?

Ben, j'en sais rien. Ça me gratte, quoi.

Moi, à force de me gratter pour de faux, ça s'est mis à me gratter pour de vrai.

Au fait, tu sais combien ça fait, 45 multiplié par 5 ?

AVANT D'ENTRER

ARIOL

On ne plaisante pas avec les puces à l'école, tu comprends ? Tourne-toi.

PFFRRT...♫ ARiOL, on voit ta culo-tteuh ♫

Oh, ça va, hein ?

Bon. Ni puce, ni trace de puce. Fais voir ton torse, maintenant.

♫ Ta culotte elle est ♫ ver-teuh

T'es bête, BROUHAHA !

Rien de rien. Zéro puce. Au suivant.

Moi, ça ne me gratte plus. C'est fini. Ça va très bien. Par contre, est-ce que vous savez combien ça fait, 45 multiplié par 5 ?

Soulève bien ton pull, que je voie.

Mais puisque je vous dis que j'ai rien !

HÉ HÉ !

Un collier anti-puces, justement !

C'est... c'est ma mère qui veut que je le porte... SNIF !

HAHA HA !

Arrête de rire, toi ! Il n'y a rien de drôle !

C'est lui qui s'est moqué de moi, tout à l'heure !

RNIFL !

Elle a raison, ta maman. C'est efficace, ces colliers-là. Ça protège.

Oui, mais moi, je voulais un bracelet, plutôt, genre bracelet de force. Un collier, ça fait fille.

Alors, je suis obligé de porter un col roulé pour le cacher et après, si on me fait faire des multiplications au tableau, j'ai chaud et mon pull me gratte. SNIFF !

Bon, bon, je comprends. Mouche-toi, tu as la truffe qui coule.

En tout cas, la bonne nouvelle, c'est que tu n'as pas de puces. Et si tu veux, je dirai un mot à ta maman pour ton collier, d'accord ?

POIN!

J'ai soif, madame LATIFA.

Allez boire au robinet, et après, ZOU! En classe !

Je te préviens, si tu dis aux autres que j'ai un collier anti-puces, je dis que t'as un slip vert.

Et alors ? C'est très joli, un slip vert.

Je vous raccompagne.

Vous ne dites rien sur mon collier, hein ?

Hou la ♪ fi-lleuh ♪

Retrouve *Ariol* tous les mois dans ***J'aime lire.***

Couleurs : Rémi Chaurand.

Le cours de
Hip Hop

Viens au cours de Hip Hop de Pam et Sam. Avec le professeur Mixeur Étoile, ça va bouger !

Qui est l'as du Rap ?

Il est en poster dans la salle de danse. Il porte une chaîne en or, des lunettes noires, une casquette à l'endroit et un tee-shirt rouge.

DJ BOSS

MC JUNE

STARRR

MC DONI

DJ LOVE

BOO-booh

Big Mike

DJ GOT

Solution : l'as du rap, c'est « MC June ».

Que dit Mixeur Étoile ?

Suis le fil qui part de Mixeur Étoile et lis les mots
que tu rencontres.

**Trouve
les intrus !**
Quels sont les dix objets
qui n'ont rien à faire
dans cette image ?

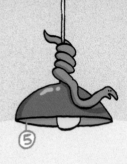

Solution : serpent, hache, palme au pied, taupe, brassard, épingles,
menottes, melon, robinet, étoile de mer.

Quelle est la figure réalisée par Pam ?

Remplis la grille avec les noms des objets numérotés. Sur la verticale colorée, tu trouveras comment s'appelle cette figure.

Pam fait le

Solution : 1. basket, 2. chaîne, 3. montre, 4. barre, 5. lampe, 6. miroir, 7. poster, 8. lunettes.
Pam fait le « scorpion ».

Qui fait quoi ?
Rends à chaque danseur l'ombre qui lui correspond.

1

2

3

Le Tic Tac

La COURONNE

Le SPIN

4

5

La COUPOLE

Le Thomas

Solution : 1. le thomas, 2. la couronne, 3. le tic tac, 4. le spin, 5. la coupole.

Remets les images dans l'ordre !

La chanson codée

Complète la chanson en suivant le code.

♪ = OP ou OPE,   ♪ = OU ,   ♪ = IQUE ou IC.

Calme plat

RAAAH!!! ARRÊTE ce TRUC ! Je ne m'entends plus jouer !

VRRRUUUU...

MON ASPIRATEUR !

PAF

EH oh! UN peu de calme. BERNARD, ARRÊTE ce JEU vidéo ULTRA-VIOLENT ! Essaie plutôt ceci...

PUZZLE 5000 PIÈCES

TROIS heures plus tard.

BON... Je dois AVOUER que c'est Relaxant... et même, PASSIONNANT...

VOYONS... où VA cette Pièce ?

Et voilà... La dernière !

TAC !

BERNARD ! BONNE NOUVELLE

J'AI RÉPARÉ L'ASPIRATEUR !

VRUUUUUUU

Eh eh, ON N'entend plus BERNARD. MON puzzle L'A Rendu doux comme un AGNEAU.

Scénario : Paul Martin. Illustrations : Manu Boisteau. Couleurs : Delphine Chedru.

Blague

Un voleur cambriole une maison.
Soudain il entend derrière lui une
petite voix :
**– Dites, n'oubliez pas
de voler aussi
mon carnet de notes !**

Énigme

Dans un aquarium,
il y a cinq poissons.
Tous se noient.

Combien en reste-t-il ?

Blague

Oh Papa, t'as vu, un mouche !
– C'est pas un mouche,
mais une mouche, répond le père.
– Tchou... ben dis donc, P'pa,
t'as de bons yeux !

Dessin : Fred Benaglia.

Chauffe tes neurones

**Associe un nombre à un mot
et tu trouveras un autre mot.**

6 •	• cœur
10 •	• gare
20 •	• manche
100 •	• pattes
1000 •	• thé

Devinette

Pourquoi les Anglais
n'aiment-ils pas
les grenouilles ?

Énigme

L'escroc n'en a pas,
la crapule et **le vaurien**
en ont chacun un,
le malfaiteur et
la canaille en ont deux.

De quoi s'agit-il ?

T. Taclack est un « pneu » bête

Scénario : Libon. Dessin : Fred Benaglia. Couleurs : Framboise.

Retrouve *T. Taclack* **tous les mois dans** *J'aime lire Max.*

Ça tombe bien, vous allez vous régaler avec mon invention.

Ah oui ?! Qu'est-ce qu'il y a au menu ?

C'est une surprise. Poussez la porte, vous allez voir...

Qu'est-ce que c'est que ça !?

KWÂÀ

!

départ

C'est une oie.

Ça, je le vois bien que c'est une oie. Mais, qu'est-ce qu'elle fiche dans MON palais !?

C'est la pièce maîtresse de mon installation : UN JEU DE L'OIE GRANDEUR NATURE !!

dépa

Plus grand que nature vous voulez dire... Cette oie est monstrueusement énorme.

C'est parce que je l'ai gavée de bonbons. Ça fait grossir.

KWAAA

C'est compliqué, les règles de votre jeu de l'oie ?

Très simple. Mais, attention ! Celui-ci est piégé...

depart

Le but est de laisser gagner nos ennemis et quand ils parviendront sur la case ARRIVÉE, cette grosse main les attrapera et les enfournera dans le bec de ce volatile.

C'est gavant.

depart

Après ça, nous n'aurons plus qu'à faire du foie gras d'oie à la SARDINE, HA HA HA !

BEURK ! Et comment comptez-vous vous y prendre pour attirer SARDINE et sa clique dans ce traquenard ?

Facile. Ces imbéciles détestent que l'on fasse du mal aux animaux...

Arrachez vigoureusement les plumes de cet oiseau et ils rappliqueront.

Ah, ça c'est rigolo !

Au même instant, dans l'espace...

KWAAA!!

?

81

Rappelez-vous, ils doivent gagner...

GRRR... Taisez-vous, KROK, j'ai horreur de perdre !

OH NON ! On tombe en prison...

VLAM !

BIEN FAIT !! HA! HA! VOUS PASSEZ VOTRE TOUR !

À MOI DE JOUER !

32

37

SUPERMUSCLEMAN, Nooon...

Couleurs : Walter Pezzali.

Rébus

Trouve l'expression qui se cache derrière ce rébus. Quand deux personnes se disputent, on dit…

Blague

Un chevalier en armure est perdu dans un désert. Il marche mais, au bout de quelques heures, il s'écroule. **Un lion arrive. Il se lèche les babines**, puis s'exclame dépité :
– Et zut ! Je n'ai pas d'ouvre-boîtes !

Blague

On ne dit pas :

« C'est l'Amazone. »

On dit :

« C'est là que j'habite. »

Énigme

Je suis une plaisanterie très utilisée en cuisine.
Qui suis-je ?

Le sais-tu ?

Un palindrome est une phrase que tu peux lire de gauche à droite et de droite à gauche.
Essaie un peu et étonne tes copains !
– **Élu par cette crapule.**
– **Engage le jeu, que je le gagne.**
– **Car, tel Ali, il a le trac.**

Extrait de Le gros tas de trucs indispensables et superflus, de Marie-Christine Vidal, éd. Albin Michel.

Blague

Un bûcheron coupe un gros arbre.
Un Parisien passe, le regarde et lui dit :
– C'est du boulot, hein ?
– Pas du tout, s'exclame le bûcheron,
c'est du chêne !

Dessin : Fred Benaglia.

Écrivain pathétique...

Hi, hi ! J'écris un livre ! Hi, hi !

Ha ? Ça parle de quoi ?

Tu vas voir, c'est hyper original !

Alors, le héros, c'est un poulpe qui est un peu amoureux d'une girafe et il a des amis. ALors, il en a une qui a de grandes oreilles roses...

... Oui, et il a un pote qui a un gros nez jaune !

...

?

K-Nine arrive à lire dans mes pensées, je sais pas comment elle fait...

Noooh !

Scénario : Libon. Dessin : Fred Benaglia. Couleurs : Framboise.

Au bord de la neige !

Aliène, Attila a l'air bien triste. Tous les autres canards sont partis pour l'hiver dans les pays chauds...

Ah bon ?

COIN.

Eh bien, on n'a qu'à l'emmener là-bas. En 20 minutes, on sera en Afrique.

Pas question. Ce livre terrien explique très bien qu' « il faut laisser les enfants grandir à leur rythme ». Il migrera quand il sera prêt.

Mais il a besoin de soleil ! Et moi aussi !...

PARENTS

Hum... il y a peut-être une solution. Tout près d'ici, les Terriens ont créé une vraie plage tropicale !

Super ! On y va !

TROPICAL PARC

Plages du Nord, nous voici !

TROPIC PARC

FERMÉ POUR L'HIVER

Regarde, mon canard : on va installer nos affaires dans une de ces jolies maisonnettes.

J'espère que c'est chauffé !

Ah ! En voici une ouverte avec trois chambres !

Tu es sûr ? Il y a une drôle d'odeur.

Allez. On dépose les sacs et on file à la plage.

Oh ! Si on y allait avec des vélos ?

Tu crois ?

Mais oui. J'ai lu que les Terriens prennent souvent des vélos. C'est bon pour la santé.

Quels objets idiots.

Et en plus, c'est lourd !

Allez ! Ça va te faire les muscles.

91

Une heure plus tard.

Bravo! Ça marche très bien.

Vous êtes tout bleus!

Kiki... je veux partir! J'ai froid!

COIN!

Bon, d'accord! Nous allons nous réchauffer dans un des cinq restaurants du parc.

Ah! Chic!

Kiki! Tous les restaurants sont fermés!

COIIN!

PIZZA MAMA

BURGER TEX

FERMÉ

Euh... attendez. Je vais vous trouver quelque chose.

Allez, Attila. Finis ta mouette. Ça va être froid.

C'est tout dur.

miom miom

Kiki, ton idée ne marche pas du tout. J'ai l'impression qu'Attila est de plus en plus déprimé.

Je ne comprends pas.

AH! ÇA, ça va le distraire! Écoute: « L'AQUA-LAND est équipé de cinq bains bouillonnants, d'une piscine à vagues tropicale, et d'un toboggan géant! »

WOAH!

Aqua Land

??

Allez, Attila! Le dernier arrivé est un poulpe de l'espace!

COIN! COIN!

YAHOUU!

??

WAAAH

BONG

mmh

OOOUA

HEEE

OUILLE

ZZZZZ

?!!!!

SPAF!

AAH!

BOM

OUILLE!

Attila! Il va...

COiN?

Attila! Attention! Il n'y a pas d'eau!

Coin !

Attila !

Aliène ! Attrape-le !

Flap Flap Flap

?

!

Attila !

Coin ! Coin ! Coin !

Mon bébé ! Il... IL VOLE !

Ah ! Ah ! C'est le plus beau jour de ma vie !

Oui, enfin, n'exagérons rien, quand même.

Kiki, je veux quitter cet endroit de cauchemar !

Ça tombe bien, Aliène. Attila est prêt, maintenant.

Courage, mon petit canard. Plus que 2734 km avant l'Afrique !

Coin !

Kiki, selon mes calculs, à cette vitesse, on arrivera le 12 juin.

FIN

Scénario : Paul Martin. Dessin : Nicolas Hubesch.

Retrouve *Kiki et Aliène* dans tous les numéros d'*Astrapi*.

96

Vacances au chaud

Scénario et texte : Paul Martin. Illustrations : Manu Boisteau. Couleurs : Delphine Chedru.

Retrouve *Maudit Manoir* dans **Astrapi.**

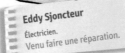

Voici les objets qui ont pu permettre de sortir le glaive du musée.

Caisse à outils d'Eddy Sjoncteur
40 cm x 10 cm

Parapluie d'Alice Torienne
70 cm

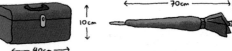

Étui à violon de Sido Mifasol.
80 cm

Carton à dessin de Bernard Tiste.
50 cm x 40 cm

Docteur ÉNIGMUS

Eddy ne peut pas avoir sorti le glaive dans sa caisse à outils qui ne fait que 40 cm de long. Il est donc innocent.

Le vol a été commis alors qu'il avait coupé l'électricité. Et pendant tout ce temps, il a entendu le violon de Sido : elle n'était donc pas en train de commettre ce vol.

Quant à Alice, elle est sortie à 10 h 12, bien avant la coupure. Elle aussi est innocente.

Le coupable est donc Bernard Tiste. Il a pu glisser le glaive dans son carton à dessin : il tient, en diagonale.

Tatiana, encore un criminel arrêté grâce à moi !

Et pour fêter ça, je vous offre des chocolats. Vos préférés !

Scénario : Paul Martin - Dessin : Matthew Broersma - Couleurs : Laurence Croix.

Les **NOUVELLES AVENTURES**
tendres et drôles du petit âne à lunettes !

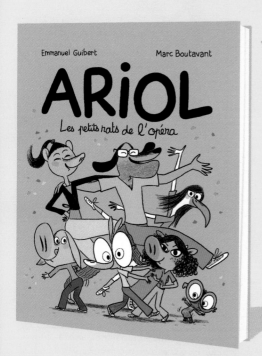

NOUVEAUTÉ
Le tome 10 en librairie
le 7 janvier

© Guibert/Boutavant.

Dès 7 ans - 11,50 €   9,95 €   9,95 €

BD KIDS   www.bd-kids.com

Tic, tac!

106

Eh, Maman! J'ai poussé la voiture avec Papa mais c'est moi qui l'ai fait rouler.

C'est bien, mon ânon.

J'suis fort, hein?

Papa, qu'est-ce que je fais, maintenant?

Il faut changer la roue.

Tu ne préfères pas appeler un dépanneur?

On ne va pas appeler un dépanneur pour changer une roue, enfin! Ça coûte une fortune, un dépanneur!

Je vous la change, moi, la roue.

ARIOL, laisse cette roue! Tu vas te salir!

Mais j'enlève juste le pneu!

C'est Papa qui s'en occupe. Ne touche à rien. Avant d'enlever la roue, il faut soulever la voiture.

Soulever la voiture ?

Sortons les bagages, que j'atteigne la roue de secours et tout le fourbi.

C'est le CHEVALIER CHEVAL qui va soulever la voiture.

HÉHÉ. Ils vont en faire une tête ! Un...deux...

...trois!

MMMPPFFFF!

ARIOL

Comment tu vas faire pour soulever la voiture sans moi ?

Avec le cric.

C'est quoi, le KRIK ?

C'est ça.

Et comment ça marche ?

ARIOL, va jouer tranquillement sans t'approcher de la route. On t'appellera quand ce sera fini.

Mais ça m'intéresse, moi, de voir comment Papa change la roue.

Alors laisse-le faire et regarde sans rien dire.

Le problème, c'est que j'y vois de moins en moins. Regarde si la lampe de poche est dans la boîte à gants, MUMULE.

J'y vais !

ARiOL

113

Texte : Emmanuel Guibert. Dessin : Marc Boutavant. Couleurs : Rémi Chaurand.

mon ami GROMPF

PAR **N** o **b**

CHÉRI, JE REVIENS DES COURSES. TU POURRAIS FINIR DE DÉCHARGER LE COFFRE ?

C'EST ASSEZ LOURD...

PAS DE PROBLÈME, MA P'TITE DAME! CAPTAIN BICEPS EST TOUJOURS LÀ POUR RENDRE SERVICE AUX PLUS FAIBLES !

OUCH!

OUH, J'AI L'IMPRESSION QUE CAPTAIN BICEPS A UN SÉRIEUX COUP DE POMPE !

LE DOS COINCÉ, ÇA FAIT **MAL** !

IL TE FAUDRAIT UN BON MASSAGE!

VA T'ALLONGER SUR LE LIT, J'ARRIVE !

ET JE FAIS COMMENT?

DANS QUELQUES MINUTES, TU TE SENTIRAS BEAUCOUP MIEUX !

ALORS ?

MOUAHF...

115

MMH... J'AI UNE HUILE ESSENTIELLE TRÈS EFFICACE CONTRE LE MAL DE DOS !

HEIN ?

BOUGE PAS...

JE VEUX PAS TE VEXER CHÉRIE. MAIS LÀ. ÇA ME FAIT RIEN. FAUT Y ALLER PLUS FORT !

GROMPF...

DE QUOI ?

HMM...

HMM... C'EST MIEUX ...

LÀ... C'EST BIEN... PLUS FORT ENCORE !

N'HÉSITE PAS À Y ALLER À FOND !

AAAH! ÇA VA MIEUX, EN EFFET...

...JE CROIS QUE ÇA SE DÉCOINCE !

Retrouve *Mon ami Grompf* tous les mois dans *J'aime lire Max.*

Zélie&compagnie

Le hamster

NOËL
DIT BOYCOTT

AGATHE
DITE COIN-COIN

ALBERT
DIT EINSTEIN

ZÉLIE
BISTOURI

BENOÎT
DIT LAGLU

Zut! Mon porte-monnaie est vide!

Quelqu'un peut me prêter 3 euros?

?

Pour quoi faire?

Du tir à la carabine.

Je croyais que tu en avais marre et que tu avais envie de rentrer.

J'en ai PLUS que marre mais je rentrerai APRÈS avoir tiré à la carabine.

Un euro, c'est tout ce que je peux faire.

Moi aussi.

Il me reste 50 centimes.

Moi aussi.

Merci! Attendez-moi! J'en ai pour deux minutes!

117

PETS!

Trois fois dans le mille! **BRAVO !** Tu as droit au Super gros lot!

Alors?

T'as gagné quoi?

Il a l'air sympa.

Il est trop mignon!

Adorable!

Ça!

Oooh! Un hamsteeer!

OUAAAAH! Je veux le hamsteeer!

Pas question! C'est moi qui l'ai gagné!

Égoïste! On s'est tous ruinés pour ce hamster!

2

Boycott a raison! Cet animal appartient à nous tous!

Mais je ne vais quand même pas le couper en morceaux pour vous faire plaisir!

Pourquoi le couper? Si ce hamster est la propriété du groupe, on peut s'en occuper chacun son tour.

Une semaine chez l'un, une semaine chez l'autre, pas de jaloux. Tout le monde est content.

T'en penses quoi, Zélie?

Pas d'accord! Chacun de vous possède déjà un animal de compagnie!

Coin-Coin a un lapin...

...Einstein, un chat...

...Laglu, un poisson rouge...

...et Boycott, une tortue!

Mais toi aussi, tu as déjà un chien!

Ça me regarde! Je garde mon hamster!

3

119

Pas question de garder cet animal à la maison!!!

Mais...

Pas de « mais », Zélie! Rapporte cet animal où tu l'as pris!

Je l'ai pas pris, je l'ai gagné!

Je ne veux pas le savoir!

Mais pourquoi?

Parce qu'on a déjà largement veux pas que se transforme

Lolotte! C'est suffisant! Je ne cet appartement en arche de Noé!

?

Eh bien puisque c'est comme ça, je vais m'enfermer dans ma chambre...

Et j'y resterai jusqu'à ce que tu changes d'avis!

Jamais de la vie!

SLAM!

4

120

Le lendemain matin...

Arrête de bouder, Zélie...

Non! Je n'arrêterai pas!

C'est bon... Tu as gagné! Tu peux garder ton hamster!

C'est vrai?

Oh, merci, p'pa! T'es vraiment super!

Mmh...

Tu vas voir, toi et moi, on va bien s'entendre!

5

121

123

LOLOOOTTE!

Je t'aime, Lolotte!

Tu es ma meilleure amie.

Lolotte est malheureuse. Pourquoi tu ne m'as rien dit?

Je viens de te le dire, Zélie.

Je veux dire : pourquoi tu ne m'en as pas parlé AVANT?

Je n'aurais pas dû avoir besoin de te le dire.

J'ai compris... Tu voulais savoir si j'étais capable de m'occuper de Fifi et de Lolotte...

Je crois qu'il va falloir faire un choix...

Tu vas réfléchir à tout ça?

Non... C'est tout réfléchi.

Fifi va rester avec nous...

Ce sera la mascotte de la classe !

Évidemment, elle ne pourra pas rester toute seule ici pendant les vacances...

...alors, ce sera à chacun son tour de s'en occuper !

CHOUEEETTE !

9

125

Scénario : Corbeyran. Dessin : David De Thuin. Couleurs : Caroline Blanchard.

L'expert

Scénario : Paul Martin. Dessin : Manu Boisteau. Couleurs : Delphine Chedru.

La classe!

Regarde, Aliène. Les humains de petite taille se regroupent dans ce bâtiment.

ÉCOLE

Tiens? Pourquoi?

Porte-moi. Je vais regarder.

Humpf!

Fais vite!

Alors? Qui sait combien font 5×8?

Moi!

40!

5×8
5×9
6×3
7×2

Qui appelait-on "le Roi-Soleil"?

Louis XIV!

Ça alors! C'est fascinant!

Tu veux dire "fatigant"?

Ces petits humains doivent être des vieux sages. Les autres viennent leur poser des questions bizarres, et ils trouvent les réponses!

Ah bon?

Scénario : Paul Martin. Dessin : Nicolas Hubesch.

Retrouve *Kiki et Aliène* dans tous les numéros d'*Astrapi.*

Anatole Latuile

Jour de chance

Depuis ce matin, il m'arrive plein de choses incroyables !

Raconte !

Avant de partir à l'école, on sonne à la porte, c'est ma grand-mère qui vient m'apporter un cadeau !

Celui dont je rêvais depuis des semaines !

Quoi, des Radidas ?

Mettez-vous en rang, les enfants !

Les vraies Radidas de l'équipe de France !

Et regarde sous la semelle !

C'est la signature de Grégory Loupé !

Bip bip !

?

Ouah ! la chance !

Quoi, une fuite dans ma salle de bains ?

Et ce n'est pas tout, après je vais dans la rue, et vous savez ce que je trouve dans le caniveau ?

Naaan !

130

Une pièce de cinquante centimes !

Pas croyable !

Le plafond se décolle chez le voisin du dessous ?

Avec la pièce, je vais à la boulangerie pour acheter une boule coco.

Et c'est descendu jusqu'à la cave ?

Et la boulangère me donne un porte-clefs !

Qu'est-ce que c'est ?

Du faux singe véritable !

Ouah ! la classe !

Hem ! Je dois m'absenter une demi-heure. Je vais prévenir la directrice. Restez dans la cour en m'attendant !

Une demi-heure de liberté !

Vous voyez, la chance continue !

Heureusement qu'on est dans la même classe que toi !

Mais qu'est-ce que je vois là ?

La carte de photocopies de la maîtresse !

Décidément, c'est ton jour !

!

Pétrouchka GOULOMINOFF

Elle s'appelle Pétrouchka !

AH AH AH AH AH AH AH AH AH AH AH A AH

C'est trop drôle !

« Pétrouchka, ♪ ne pleure pas… »

J'ai une idée de jeu en attendant la maîtresse !

Pchhh ! Pchhh !...

Suivez-moi, c'est ouvert !

LOCA PHOT

NE GASPILLEZ PAS LE PAPIER PREFEREZ LES RECTO VERSO

Tu es sûr qu'elle ne remarquera pas ?

zip !

Elle ne compte pas ses photocopies, quand même ?

On dirait que je suis le radiologue-chef.

Et moi, je suis l'infirmière en chef !

Anatole Latuile

Scénario : Anne Didier et Olivier Muller. Dessin : Clément Devaux. Couleurs : Roland Garrigue.

Retrouve *Anatole Latuile* tous les mois dans ***J'aime lire.***

On n'a rien inventé de mieux
pour aimer lire

Imaginer
Lire
Jouer
S'évader

•• bayard
Lire pour la vie !

---

blague

J'ai inventé ça pour regarder à travers les murs!

Comment ça s'appelle?

Une fenêtre!

Dingo proverbe

KOF! KOF! KOF!

Tousse pour un, rhume pour tous!

PROOONT!

Source : *Le livre du p'tit coin*, éd. Tourbillon.

COMBLE

Quel est le comble d'une poêle?

LALALA, LAÏ LAÏ LAÏ TROLOLÔ!

HOU, c'est nul!

Solution : c'est de chanter comme une casserole.

ARIOL

Tu ne veux pas rester dîner avec moi ?

Non, je dois rentrer. J'ai promis à ma mère.

PAF !

CLAC !

Allez, sois sympa, quoi, reste ! Comme ça, on dîne et puis après, on rejoue.

Non.

POF !

BOUM !

T'es bête ! On rigolait bien.

C'est toi qui es bête. Tu vas bouffer des carottes et moi, j'aurai de l'omelette aux truffes.

BING !

PEF !

Toujours en train de vous bagarrer, les garçons ! À table, ARIOL ! Les carottes sont cuites.

On rigolait, madame AUBRY.

Je m'en vais, madame AUBRY.

ARIOL

LE CHEVALIER ♪ CHEVAL ♪...

JUSTICIER ♪ DES ÉTOILES ♪...

PROTCH!

CLAC!

ARIOL, tu viens, maintenant ! Et toi, RAMONO, rentre chez toi. Ta maman va s'inquiéter.

J'arrive, madame AUBRY.

J'y vais, madame AUBRY.

Bon, ben, à demain alors.

À demain, huit heures et demi.

T'es qu'un sale saucisson tout mou, parce que moi je te prête mon jeu et ma bédé et toi, tu me laisses tomber.

ARIOL

Demande à RAMONO de t'en donner et je t'en ferai, moi, de l'omelette aux truffes.

RAMONO, il aime bien prendre, mais pas tellement donner.

C'est ton meilleur copain, pourtant.

Ah oui, mais sans ça, il est cool.

Et explique-moi un peu pourquoi vous êtes SANS ARRÊT en train de vous battre, tous les deux ?

On ne se bat pas, on rigole.

Je vois bien que vous rigolez, mais il y a quand même d'autres façons de rigoler, non ?

C'est parce qu'on joue au CHEVALIER CHEVAL.

Le CHEVALIER CHEVAL ! Toujours le CHEVALIER CHEVAL !

C'est génial !

Quand je serai grand, je me ferai refaire les oreilles pour ressembler au CHEVALIER CHEVAL !

ARIOL, je t'interdis de dire des bêtises pareilles.

Maman et Papa sont d'accord !

Ton papa et ta maman t'ont fait comme ça, on t'aime comme ça, tu restes comme ça !

D'ailleurs, elles sont adorables tes petites oreilles. Elles te vont très bien.

J'en ai assez des carottes.

PLUS TARD

Une manche partout ! On fait la belle, madame AUBRY ?

Il est neuf heures vingt, ARIOL. Tu devrais déjà être au lit.

Surtout qu'il faut encore te débarbouiller et te laver les dents.

Vous dites ça parce que vous avez peur de perdre.

Elle rentre quand, Maman ?

Tard. Ils ont dit vers onze heures. Elle viendra t'embrasser dans ton lit, même si tu dors.

Vous allez regarder la télé ?

Ben oui. Avec mon tricot.

145

Retrouve *Ariol* tous les mois dans ***J'aime lire.***

mon ami GROMPF

PAR N o b

IL SE FAIT TARD, TOUT LE MONDE AU LIT !

P'PA, GROMPF PEUT DORMIR DANS MA CHAMBRE CETTE NUIT ?

BON, D'ACCORD, MAIS C'EST BIEN PARCE QUE TU N'AS PAS ÉCOLE DEMAIN...

GROMPF!

WÉÉ!

MAIS JE NE VEUX PAS ENTENDRE UN SEUL BRUIT. C'EST BIEN COMPRIS ?

VÉ VÉ...

GROMPF?

CLAC! CLAC!

VLAM!

WA WA!

WA WAAA!

HO!

GROMPF!

147

QU'EST-CE QUE J'AI DIT?!!

PLAF!

VOUS ALLEZ ME RANGER TOUT CE FOUTOIR, ET PLUS VITE QUE ÇA!

ET JE NE VEUX PLUS ENTENDRE QUE LE SILENCE!

HÉ HÉ

GROMPF?

HI HI HI!

GROMPF!

TU N'AS PAS ENTENDU UN PETIT BRUIT?

COMME UN CRAQUEMENT...

CRAC!

TU AS RAISON...

...SI JE MONTE, ÇA VA BARDER!

Retrouve *Mon ami Grompf* tous les mois dans *J'aime lire Max.*

Tom-Tom et Nana

Cadeau renversant !

Sortez d'ici!!

Mais c'est la fête du maître, je lui cherche un cadeau!

C'est dur! Il trouve tout moche!

Pfff!

Je suis fichu! Les autres vont apporter des super giga trucs!

Snif!

BLOM!

Pauvre Tom-Tom! Tu pourrais l'aider au lieu de crier!

Bon! Un cadeau pour monsieur Tabouret...

...Je crois que j'ai une idée!!

C'est vrai?

BANG!

La chaise longue, là !

BAM!

On ne s'en sert jamais !

N'importe quoi !

Tu veux qu'on t'en débarrasse ?

Tu exagères !

Mais non ! Vous ne voyez pas l'astuce ?

PAF !

Une chaise longue pour monsieur Tabouret... C'est rigolo, non ?

Ah ouiiii !

Oh papounet ! Tu es trop, trop génial !

151

152

J'aurais pas fait une bêtise, par hasard ?

On ne s'en servait pas... Y'avait bien une raison !

Yvonne! Tu te rappelles la chaise longue ?

...Pourquoi on l'avait mise à la cave ??

Si tu crois que ça m'intéresse !

Avec tout le boulot qu'on a !!

Mouais... N'empêche que ça me tracasse !

154

155

157

Retrouve *Tom-Tom et Nana* en album chez **Bayard Éditions.**

Découvrez nos magazines de lecture
À chaque âge son plaisir de lire !

Les coups de cœur de *J'aime lire BD !*

© Titwane.

roman

Oscar le médicus

tome 1, Le pendentif magique
D'Eli Anderson et illustré par Titwane,
éd. Albin Michel Jeunesse, *Versilio*, 106 pages, 5,50 €,
à partir de 8 ans.

C'est qui ?
Le jeune Oscar, 9 ans.

Ça raconte quoi ?
Après avoir trouvé un pendentif magique,
Oscar devient subitement minuscule
et tombe dans l'estomac d'un chien
glouton. Chaque aventure est pour Oscar
l'occasion de résoudre une énigme
fantastique, tout en découvrant le
fonctionnement des organes du corps.

album

Le voyage extraordinaire

De William Grill,
éd. Casterman, 72 pages, 17,50 €, à partir de 7 ans.

C'est qui ?
Ernest Shackleton et son équipage.

Ça raconte quoi ?
L'histoire vraie de la première traversée de
l'Antarctique aux dangers imprévisibles.
Pour l'équipe d'Ernest Shackleton, en 1914
une extraordinaire odyssée commence.
Un livre très bien documenté avec cartes,
illustrations et index.

jeux

Cartes

Le grand carnet d'activités

D'Aleksandra Mizielinska et Daniel Mizielinski,
éd. Rue du monde, 72 pages détachables, 27 x 37 cm,
16 €, à partir de 7 ans.

C'est qui ?

Il n'y a pas de personnages,
c'est le lecteur qui dessine.

Ça raconte quoi ?

Du football aux costumes traditionnels,
des animaux d'Afrique aux tatouages
maoris, le lecteur doit dessiner
les 72 réponses aux questions, pour
décrire le monde, l'imaginer, le colorer et
finalement s'en émerveiller.

album documentaire

Les bêtes dangereuses, dévoreuses, venimeuses

De Jean-Baptiste de Panafieu, illustré par
Benjamin Lefort et Lucie Rioland, éd. Gulfstream,
coll. *Dame Nature*, 88 pages, 16 €, à partir de 8 ans.

C'est qui ?

Les animaux, gros ou minuscules,
qui nous font peur.

Ça raconte quoi ?

Dans la série des vilaines bêtes qui
mordent, dévorent ou piquent, voici
la mygale de Sidney, le tigre, le piranha
à ventre rouge… Un documentaire
complet et drôle qui nous fait
approcher de très près trente bêtes
de mauvaise réputation.

deux romans où ça chauffe entre frères et sœurs.

Coup dur

Personnages créés par Jacqueline Cohen, Évelyne Reberg, Bernadette Després, Catherine Viansson-Ponté. Scénario : Jacqueline Cohen, Didier Lévy. Dessin : Bernadette Després. Couleurs : Virginie Péchard.